TEXTE : GILBERT DELAHAYE
IMAGES : MARCEL MARLIER

W9-DEB-437

martine
en montgolfière

casterman

© Casterman 1983
Droits de traduction et de reproduction réservés pour tous pays. Toute
reproduction, même partielle, de cet ouvrage est interdite. Une copie ou
reproduction par quelque procédé que ce soit, photographie, microfilm, bande
magnétique, disque ou autre, constitue une contrefaçon passible des peines
prévues par la loi du 11 mars 1957 sur la protection des droits d'auteur.

L'oncle Gilbert est pilote de montgolfière. Il a promis à Martine et à Jean qu'ils pourraient l'accompagner dimanche au rallye-ballon. Le jour de la fête, les concurrents se préparent.

C'est la fin de l'après-midi. Il fait beau. A cette heure, le vent se calme.

— Est-ce qu'ils vont partir tous ensemble ?

— Oui, sûrement, si tout se passe bien.

— Qu'est-ce qui fait s'envoler les ballons ?

— On les remplit de gaz. Ils s'élèvent parce que le gaz est plus léger que l'air.

— Où est ton ballon ? demande Martine.

— Il n'est pas tout à fait pareil... Venez donc par ici. Nous allons nous en occuper.

On décharge le ballon de l'oncle Gilbert à l'endroit prévu sur le champ de foire.

Les enfants sont intrigués :

— C'est ça, ton ballon ?... Il est tout petit, tout plat !

— Comment pourrons-nous monter dedans ?

— Pas si petit que ça. Tu verras... Maintenant, les enfants, au travail ! Nous allons le gonfler.

— On va bien s'amuser ! dit Patapouf.

Les badauds s'approchent pendant que l'on dispose le matériel sur la place : l'enveloppe que l'on déroule comme un grand parachute, la nacelle pour les passagers, les bonbonnes à gaz, le brûleur et l'extincteur.

— Un brûleur, oncle Gilbert ? Pourquoi donc ?...

— Parce que mon ballon n'est pas un ballon comme les autres. Il doit être gonflé avec de l'air chaud. Pour cela, nous aurons besoin d'un brûleur.

Pas tout de suite. D'abord nous allons envoyer de l'air dans l'enveloppe avec le ventilateur.

Il faut soulever la toile... comme ça, les enfants... pour que l'air pénètre bien dans l'ouverture et remplisse le ballon jusqu'au fond.

— Ça marche ! Ça marche ! dit Patapouf.

— Eh bien ! Patapouf, sors de là tout de suite ! Nous allons mettre le brûleur en action. Ce n'est pas le moment de faire des bêtises.

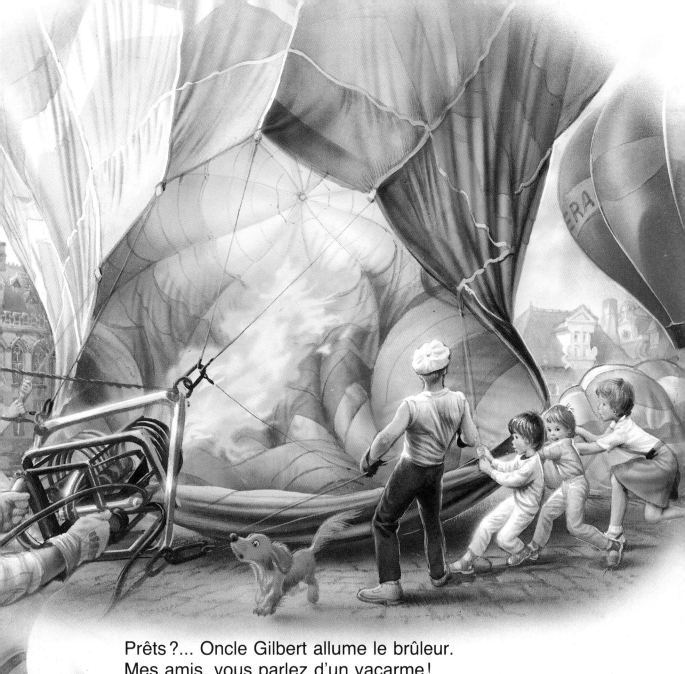

Prêts ?... Oncle Gilbert allume le brûleur.

Mes amis, vous parlez d'un vacarme !

En deux secondes Patapouf est sorti de l'enveloppe comme s'il avait un dragon à ses trousses.

Dans la bonbonne, il y a du gaz. Le brûleur à gaz chauffe l'air. L'air chaud se dilate et ne demande qu'à s'envoler avec le ballon.

Cet aérostat s'appelle une montgolfière.

7

La montgolfière est gonflée à point. Elle tire sur ses cordages. Elle va s'envoler.

Il est temps de monter à bord. C'est une manœuvre délicate.

— Accrochez-vous à la nacelle... Tenez bon !

Il faut s'installer au mieux. Ne pas se laisser surprendre par un coup de vent.

— Dépêchons-nous, les enfants !... Vous êtes prêts ?

Voilà, c'est parti !...
La montgolfière s'élève avec les passagers. La foule applaudit.
Papa et maman arrivent juste à temps pour assister au départ.
Jean regarde les spectateurs disparaître sous la nacelle. Martine retient son souffle.
—Tu n'as pas peur du vertige, Patapouf ?
— Le vertige ? Qu'est-ce que c'est ?
— C'est comme qui dirait le mal de l'air.

On prend de la hauteur. Le brûleur crache le feu. La flamme fait un bruit assourdissant.

— Est-ce que c'est dangereux?

— Qu'est-ce que tu dis?

— C'est dangereux?

— Ne crains rien, Martine, j'ai mon brevet de pilote.

En bas, les spectateurs sont comme des fourmis. On aperçoit le champ de foire, les toits de la ville, des clochers.

Tiens, un hélicoptère! Ce sont les commissaires.

Ils surveillent la course.

Nous sommes presque à la bonne hauteur. Oncle Gilbert coupe le gaz.
Le brûleur s'éteint... et puis, un grand calme. A peine si l'on entend
le bruit d'un tracteur. Le paysage paraît endormi. Le chariot sur le
chemin, les vaches dans le pré, la péniche sur le fleuve, rien ne bouge.
Mais ce n'est qu'une illusion...
— On n'avance pas vite. Accélère ! dit Patapouf.

— Une montgolfière n'est pas une automobile! Pas d'accélérateur, pas de frein, pas de volant.

— Alors, comment vas-tu rattraper les autres concurrents là-bas, oncle Gilbert?

— Pour manœuvrer, mes enfants, nous allons utiliser le vent.
Mais le vent ne souffle pas toujours avec la même force ni à la même vitesse. Là il y en a peu et ici davantage. Cela dépend de l'atmosphère. Il faut savoir découvrir les courants. Le vent, tu dois le chercher dans le ciel. Pour le trouver, il suffit quelquefois de monter un peu... ou de descendre. C'est une question d'expérience.

— Regardez ce concurrent. Il fait du surplace... Dépassons-le!

— J'en vois deux sur la droite... Ohé! Ohé!...

— A quelle hauteur sommes-nous ? demande Martine.

— Environ trois cents mètres... Naviguer dans le ciel n'est pas une promenade toute simple, croyez-moi.

— Qu'est-ce que cela veut dire, naviguer dans le ciel ?

— Vraiment, tu ne le sais pas ?

— Si, si... naviguer, c'est voyager sur un navire.

— Eh bien ! ma fille, on dit aussi naviguer dans les airs.

— Où allons-nous ? On ne sent même pas le vent. C'est curieux, non ?

13

— Si tu ne sens pas le vent, c'est parce qu'il nous entraîne avec lui.
On ne s'aperçoit pas de la vitesse à cause de l'altitude.

— Je veux descendre, dit Patapouf. Où est la maison ?

Oncle Gilbert se met à rire :

— On peut aller loin, sans qu'il y paraisse, quand on se laisse emporter
par le vent.

— Voilà que le temps se gâte !

— Rassurez-vous. Ce n'est qu'un nuage qui passe.

— Des aigles !... Des aigles ! crie Patapouf.

— Mais non, gros nigaud! Ces oiseaux sont des mouettes, réplique Martine. Si elles approchent trop près, elles vont sûrement se brûler les ailes.

— Allez-vous en!... Allez-vous en!

Oncle Gilbert arrête le brûleur.

Les oiseaux se dispersent.

— Où sommes-nous à présent? Consultons la boussole et la carte.

— Écoutez! Voici l'hélicoptère. Il nous a repérés. Le pilote nous fait signe de descendre, dit Martine... Que se passe-t-il?

Elle se penche pour observer le paysage. Et devinez ce qu'elle aperçoit ? Des bateaux dans un port, des grues, un phare tout blanc... la mer au loin.

— La mer ? On va se noyer !

— Patapouf, ne dis donc pas de bêtises ! intervient l'oncle Gilbert. Nous allons atterrir dans les dunes... ou sur la plage. Tout se passera très bien.

Martine s'inquiète. Elle écoute les bruits qui montent de la terre : le va-et-vient de la circulation, les cris des enfants qui jouent au ballon, la sirène d'un bateau.

— Savais-tu, oncle Gilbert, que nous allions atterrir à la côte ?

— Pardi ! Je m'en doutais un peu. Avec ce vent d'est, il fallait s'y attendre... Quand même, nous avons eu de la chance. Je crois que nous avons gagné la course.

— Où sont passés les concurrents ?

— Peut-être ont-ils consommé trop de gaz et ils sont tombés en panne. Ils ont perdu de la hauteur. Ou bien ils n'ont pas su profiter des courants et, faute de vent, ils ont dû se poser dans la campagne ?

Nous serons fixés bientôt.

L'essentiel, à présent, c'est de réussir notre atterrissage.

Reste à choisir au plus tôt l'endroit propice...

Ce serait bien si on pouvait se poser sur le sable.

Éviter les arbres et le terrain de camping.

— La montgolfière !... la montgolfière ! crient les enfants dans les dunes.

— Elle descend. Regardez :
ils vont atterrir par ici, c'est certain.

— Et s'ils tombent dans la mer, est-ce que... ?

— Mais non, ils vont s'en tirer.

— Hep là-bas ! Attention à mon cerf-volant !

Patapouf n'est pas à son aise. Pas du tout. Il retient sa respiration.

Si j'avais su, je serais resté à la maison,
pense-t-il.
Le cœur de Martine s'emballe.
La montgolfière file vers la plage.
Encore quelques secondes...

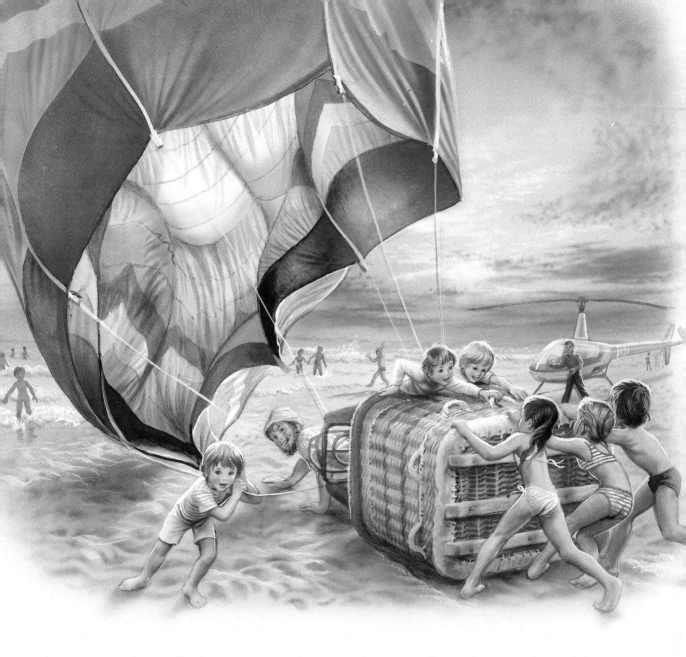

Le vent pousse l'aérostat vers la mer. La nacelle traîne sur le sable...
C'est la culbute...
On se relève. Il s'agit de maintenir la montgolfière en place pour que
le matériel ne soit pas abîmé. Les curieux accourent :
— Rien de cassé ?
— Non, merci, tout va bien.
L'hélicoptère atterrit tout près de là.

Le commissaire de la course saute à bas de l'appareil:

— Bravo, Monsieur! Bravo, les enfants! Vous avez gagné le rallye.
Les autres concurrents ont dû se poser dans les champs. C'est vous qui avez parcouru la plus longue distance... Heureux que vous ayez pu atterrir sans pépins.

Il aide l'oncle Gilbert à vider complètement l'enveloppe. S'il reste de l'air chaud à l'intérieur, le vent risque de soulever la montgolfière et de provoquer un accident.

Mais tout se passe bien. Le soir tombe et le ciel est serein. La mer apaisée roule ses vagues sur la plage. On croirait que la nuit ne va jamais venir. Autour de la montgolfière, les curieux s'attardent...

— Je te l'avais dit qu'ils allaient se poser par ici, fait un garçon plein d'enthousiasme. J'avais raison.

— Le pilote est un as. Hip, hip, hip, hourra !

Martine et Jean sont fiers de l'oncle Gilbert.

— Comment ce rallye s'est-il passé ? demande un journaliste.

— Ce fut un voyage extraordinaire !

— Vous savez, dit Patapouf, on n'a pas tellement eu peur.

— Il était temps de vous poser. Le vent vous aurait poussés vers le large.

Un garçon s'approche, un ballon sous le bras :

— Est-ce que je peux monter avec vous ?

> — On arrive ! C'est trop tard pour aujourd'hui, mon vieux ! Nous rentrons à la maison, répond l'oncle Gilbert... Allons, les gars, aidez-nous à replier la montgolfière.

Imprimé en Belgique par Casterman, s.a., Tournai. Dépôt légal: mars 1985; D. 1985/0053/124.
Déposé au Ministère de la Justice, Paris (loi n° 49.956 du 16 juillet 1949 sur les publications destinées à la jeunesse).